MARGADH NA SAOIRE

Margadh na Saoire

bailiúchán véarsaí le

Máire Mhac an tSaoi

Sáirséal agus Dill
Baile Átha Cliath

44011

An Chéad Chló 1956

Coláiste Oideachais
Mhuire Gan Smál
Luimneach
Class No. 811·914
Acc. No. 26148

CLÁR

I. Liricí

III. Aistriúcháin

Don té a léifidh le fabhar

I. LIRICÍ

CAOINEADH

GLÓR goil ar an ngaoith
    Is brat síne liathaigh spéartha,
Ise dob áille fágadh í
    Ina caoluaigh chúng ina haonar.

Tiocfaidh an leoithne bog aniar
    Is an duilliúr úr ar lomaghéaga,
Líonfaidh ré is éireoidh grian,
    Ina gcúrsa síor triallfaidh réalta ;

Is as an gcré tá os a cionn,
    As a hucht geal, as a caomhchorp,
Trí aoibh an lae is deora drúcht',
    Trí fhód aníos fásfaidh féara—

Ach choíche ní cúmfar ceol ceart,
    Feasta, ná caoinvéarsa ;
Cailleann anois an croí a neart,
    Is an mheabhair ghlic, cailleann a héifeacht.

RANNA

LE snoí croí is intinne
Bhreacas ar phár
M'urraim don áilleacht :
Go bhfuil mar atá.

Thugas dóibh siúd é,
Leosan níorbh fhíor é,
Chuireadar uathu é—
Is níor foilsíodh é.

Feasta bead gléasta
I gcaidhp na gcloigíní ;
Tréigfead an véarsa
Ag déanamh bhur ngrinn díbh.

OÍCHE NOLLAG

LE coinnle na n-aingeal tá an spéir amuigh breactha,
Tá fiacail an tseaca sa ghaoith ón gcnoc,
Adaigh an tine is téir chun na leapan,
Luífidh Mac Dé ins an tigh seo anocht.

Fágaidh an doras ar leathadh ina coinne,
An mhaighdean a thiocfaidh is a naí ar a hucht,
Deonaigh do shuaimhneas a ligint, a Mhuire,
Luíodh Mac Dé ins an tigh seo anocht.

Bhí soilse ar lasadh i dtigh sin na haíochta,
Cóiriú gan caoile, bia agus deoch,
Do cheannaithe olla, do cheannaithe síoda,
Ach luífidh Mac Dé ins an tigh seo anocht.

SMAOINTE UM THRÁTHNÓNA

Meitheamh 1940

FAOISEAMH don anam aoibhneas na síochána,
Is is luachmhar san, an ciúnas ins an aer ;
Rúndiamhair an tráthnóna briseann gáire
Linbh sa tseó, nó saltaireacht na n-éan.

Taibhsítear dom go bhfeicim den gcéad uair
Taitneamh na gréine ar shráid, is i ngarraí
Luisne an róis, is le teacht an teasa fuair
Áilleacht na gcrann nua-éileamh ar mo chroí.

Tuigim anois an stuamacht san nach linn,
D'oscail fuinneoga móra i seomraí
An tí seo a thóg foighne atá caillte againn,
Is a leath an doras fial i ndlúthfhallaí—

A Dhé, ní dílis linne atá neambuan
Ach sciamh ná maireann. Suaimhneas so ar tír
Altaímse, is nach fios dom ach gur tuar
Teacht an uafáis ina rith an niamhracht 'chím.

SLÁN

MÁ fhágaimse slán fada leat,
A ghleann a chonaic mo dhaltachas,
Led mhuintir is led thailte, féach,
Ná bíse bristechroíoch.

Do thréigean, dá mba mhian liom san,
Nach léir go raghadh ródhian orm
Nuair táim anois chomh cloíte sin—
Is go bhfillfead ort arís?

Pé bóithre atá i ndán dom,
Pé ceantar ina dtarlód,
Pé treibh thar toinn a ghlacfaidh liom,
Pé cúram atá romham—

Ní ar shráideanna Bhleá Cliath,
Áiríonn mé ar a clainn,
Thriallfaidh mo smaointe scaipithe
I ndiamhaireacht na hoích'

Ach ar dhúthaigh i bhfad siar
I raon na gréine buí,
Dúthaigh chnoc is farraige
Ná féadaim cur óm chroí.

CEIST

DOMHSA ní sásamh intinn mo chéile :
Domhsa ní dóchas suaimhneas ná codladh
Ó mheisce na bhfocal,
Ach formad folamh,
Fuadar gan toradh.

Glac peann is loit leis aghaidh an leathanaigh,
Gach leamhlíne scaoilte tarraicthe,
Allas is saothar—
Ach ní bhfaighir blas orthu.
Mire gach tosaigh nuair a bheidh traochta,
Bhfuil caidreamh dá moltar nach bocht mar an gcéanna?

DO SHÍLE

CUIMHNÍM ar sheomra ó thaobh na farraige,
Aniar is aneas do bheireadh scríb air,
Is báisteach ar fhuinneoig ina clagarnaigh,
Gan sánas air ó thitim oíche,
Is is cuimhin liom go rabhais ann, a Shíle,
Suite go híseal cois na tine
Is an fáinne óir ar do mhéir linbh.

Do thugais dúinn amhrán croíbhuartha,
Is ba cheol na fliúite le clos do ghlór ann,
Comharthaí grá ón bhFrainc ar cuairt chughainn—
Bhí gile do chinn mar an t-airgead luachra
Fé sholas an lampa leagtha ar bord ann.

Nach cuma feasta, a naí bhig, eadrainn
Deighilt na mblianta nó fuatha an charadais?
Dob é mo dhán an tráth san t'aithne.

DEIREADH FÓMHAIR 1943

MO dhiachair áilleacht bhristechroíoch na maidne seo tráth mheata an Fhómhair
Is boigeacht mhealltach so an aeir, leathadh na gréine seo mar ór,
An t-éitheach gléasta in éide phoimp, an téarnamh bréige ná hadmhóidh
Nach bhfuil sa tséimhe seo den mbliain ach leochtaint dhéanach roimh chlaochló.

Ná santaigh cuimhne feasta, a mhian, ná géill don uain, ná tnúigh níos mó ;
Ní ham an dóchais atá sa tír, ní fás a chír ach deireadh feo ;
Do thréig an t-aoibhneas bhíodh chomh fial, an bíogadh cailleadh ní mhúsclóidh—
Braithfear an sioc le titim oích', is comharthaí éadmhar ná sáróm.

COMHRÁ AR SHRÁID

AR leacacha na sráide
Nuair tharla ort an lá san
Do labhrais chugham chomh tláith sin
Am fhiafraí go muinteartha
Gur bhog an t-aer im thimpeall,
Aer bocht leamh na cathrach,
Le leoithne beag aniar chughainn
Ó dhúthaigh cois farraige
Inar chuireas ort aithne . . . .

An tsiúráil réidh sin,
Fios do bhéasa féin agat,
Teann as do Ghaelainn,
As do dheisbhéalaí
Mhín chúirtéisigh—
Ní leanbh ó aréir mé,
A Chiarraígh shéimh sin,
Ach creid mé gur fhéadais
Mé a chur ó bhuíochas
Mo dhaoine féinig.

ATHDHEIRDRE

'NÍ bhearrfad m'ingne,'
Adúirt sí siúd
Is do thug cúl don saol
De dheascaibh an aonlae sin—
Lena cré
Ní mhaífinnse,
Ná mo leithéidse, gaol—
Cíoraim mo cheann
Is cuirim dath fém béal.

BÁISTEACH Ó DHIA CHUGHAINN

GAOTH aniar is tuar chun fearthana,
Báisteach thiar os cionn na mara san,
Seasaimh go fóill fé scairt is fairfeamna
Siúl an cheatha de dhroim na farraige.

Dúchtaint sháile fé chlár tairngre,
Scáth ag rás na bplánta leathana,
Géarléas aonair trí spéir scamallaigh,
Clúid ar ghréin—anuas an chlagarnach !

Céad altú don rí a bheartaigh dúinn
Stór uiscí i mbroinn na fairsinge,
Scaoil an drúcht is chúb an t-anaithe,
Líon go flúirseach riar ár dtarta chughainn.

JACK

STRAPAIRE fionn sé troithe ar airde,
Mac feirmeora ó iarthar tíre,
Ná cuimhneoidh feasta go rabhas-sa oíche
Ar úrlar soimint aige ag rince,

Ach ní dhearúdfad a ghéaga im thimpeall,
A gháire ciúin ná a chaint shibhialta—
Ina léine bhán, is a ghruaig nuachíortha
Buí fén lampa ar bheagán íle . . . .

Fágfaidh a athair talamh ina dhiaidh aige,
Pósfaidh bean agus tógfaidh síolbhach,
Ach mar conacthas domhsa é arís ní cífear,
Beagbheann ar chách mar 'gheal lem chroí é.

Barr dá réir go raibh air choíche !
Rath is séan san áit ina mbíonn sé !
Mar atá tréitheach go dté crích air—
Dob é an samhradh so mo rogha 'pháirtí é

DIÚLTÚ

EOCHRACHA an uaignis táid anso agam,
Nath beag fuaite, seanaphort rince ;
Tá an glas soghluaiste, níl ach an casadh uaim
Sa pholl oiriúnach is gheobhad romham scaoilte—

Ach cad fáth a dtabharfainnse cúl le suaimhneas
Go mbeinn am buaireamh le samhailtí baoise ?
Cloífead le cúrsaí an lae sa tsiúl uaim,
Ag guíochtaint chiúnais shuain ist oíche.

FINIT

LE seans a chuala uathu scéala an chleamhnais
Is b'ait liom srian le héadroime na gaoithe—
Do bhís chomh hanamúil léi, chomh domheabhartha,
Chomh fiáin léi, is chomh haonraic, mar ba chuimhin liom.

Féach feasta go bhfuil dála cháich i ndán duit,
Cruatan is coitinne, séasúr go céile,
Ag éalú i ndearúd le hiompú ráithe
Gur dabht arbh ann duit riamh, ná dod leithéidse . . .

Ach go mbeidh poirt anois ná cloisfead choíche
Gan tú bheith os mo chomhair arís sa chúinne
Ag feitheamh, ceol ar láimh leat, roimh an rince
Is diamhaireacht na hoíche amuigh id shúile.

FREAGRA

'NÁ tabhair chun seanabhróga é mar ghrá—
Éirímis as, anois an t-am againn :
Grá bocht díomhaoin nár ghabh riamh thar chomhrá,
Nár theann go tráth na bpóg, grá scanraithe
A dhiúltaigh roimh admháil. Ná mealltar sinn
Fé ghrian aon pheata lae ; ní fiú an barr
Fionraí go teacht an fhómhair—Ó cabhraigh liom !
Do shroich an phréamh an croí is do chuaigh go lár ! '

'Och, a mhaoinín, ná goil, ná goil go fóill—
Luigh leis an áthas atá anois féd réir.
Ná santaigh síoreiteach is síoréaló,
Ná féach chun cinn ach glac gach ní ina chéim,
Sólás nó pian go humhal ó ló go ló . . .
Ní briseadh croí is dán do gach aon spéir.'

Coláiste Oideachais Mhuire Gan Smál Luimneach
26148

INQUISITIO 1584

SA bhliain sin d'aois Ár dTiarna
Chúig chéad déag cheithre fichid,
Nó blianta beaga ina dhiaidh sin,
Seán mac Éamoinn mhic Uilig
Lámh le Sionainn do crochadh—

Lámh le Sionainn na scuainte
I Luimnigh, cathair na staire,
Seán mac Éamoinn mhic Uilig
Aniar ó pharóiste Mhárthain,
Ba thaoiseach ar Bhaile an Fhianaigh.

Tréas an choir, is a thailte
Do tugadh ar láimh strainséara ;
Is anois fé bhun Chruach Mhárthain
Níl cuimhne féin ar a ainm,
Fiú cérbha díobh ní feasach ann . . . .

Nára corrach do shuan,
A Sheáin mhic Éamoinn mhic Uilig,
Ar bhruach na Sionainne móire
Nuair shéideann gaoth ón bhfarraige
Aniar ód cheantar dúchais.

AR AN MÓRSHLUA

'DAOINE sona an méid nach mair'—
File i ngrá gan gruaim á rá;
Dó nach fearr is fios anois?
Fada fé bhrat talún atá.

GAN RÉITEACH

'Ní heolach dom cad é, eagla an bháis,'
Is nuair a labhair do chuala na trompaí
Is chonac an pobal fiáin is an fhuil sa tsráid,
Is do bhí lasair thóirse agus gaoith
Fé na bratacha i gcaint an Fhrancaigh mhná.

Is do scanraíos, a dheoranta is a bhí,
Gur deacair liom scarúint le teas ón ngréin ;
'Mo chreach!' adúrt, 'Is fada ins an chill
Don gcolainn is is uaigneach sa chré'—
Ach d'iompaigh sí a súile móra orm,
Lán de mhíthuiscint uaibhrigh, is níor ghéill.

FEABHRA

LE dhá lá nó le trí do bhog an uain,
Do ghabhas an t-aer mar fhalaing ar mo chorp—
Milis, a Dhé, rómhilis an séasúr !
Leachta gach cruaidh ; ní buan ann oighear ná toil.

Dall agus bodhar, a dhaoine romham sa tslí,
Ná cífidh an t-earrach ghabh trím ina cheatha
Sciúrtha mar phrás a nitear, ná hairíonn
San aer im thimpeall tinneall sreanga teanna.

Aibigh, a mhian, i ndiamhaireacht na gile,
Ar bior le tuiscint aonraic ar an ndúil ;
I gcoim na mire fite mar a bhfuilir
Dulta ó aithint súl, bí teann, a rún.

Colaiste Oideachais Mhuire Gan Smal Luimneach

NEAMHTHORADH

'A CHROÍ gan ciall nár cheap do shuaimhneas riamh,
Fág aga againn ar scíth, fagham tamall suain ;
Níl seasamh ceana feasta ionainn, ní cuí
Dhúinn réim seach cách anois, ach cóir chun cuain.
Dein rud orm ! ' Mar seo do fhreagair croí,
'Is fada a bheidh ár gcodladh ins an uaigh.'

AN CHÉAD BHRÓG

DO chuireamar an bhróg air den gcéad uair ar maidin,
Fáiscithe, fuaite, seoidín den leathar,
Míorúilt ghréasaíochta sa chéadscoth den bhfaisean
Ar an dtroigh bheag bhláfar nár chaith cuing cheana,
An chéad bhróg riamh ar an gcoisín meala.

A mhaoinín, a chroí istigh, seo leat ag satailt,
Buail an bonn nó so go teann ar an dtalamh,
Tóg an ceann gleoite go clóchasach, daingean,
Linbhín fir tú id shiúl is id sheasamh,
Airde mo ghlún, is chomh luath so ag 'meacht uaim !

Is fada an ród é le triall agat feasta,
Is ceangal na mbróg ort níl ann ach tús ceangail.

II. EACHTRAÍOCHT AGUS AMHRÁIN TÍRE

LABHRANN DEIRDRE

AR bhruach na coille
  Chonac ag dul tharam
An triúr laoch
  Dob áille dealbh,
Is do lean mo chroí-se
  An té dob fhearra,
Cé go rabhas-sa snaidhmthe
  Le rímhac Neasa.

A Naois' mhic Uisnigh,
  A réalt chatha,
Ba bheo do ghrua
  Ná an fhuil sa tsneachta,
Mar sciath an fhéich
  Bhí do chumhrfholt daite,
Is ceann Chonchúir
  Féna ualach seaca.

I bpálás Eamhna
  Tá tinte ar lasadh,
Is grianán scáileach
  Romham tá ceaptha,
Is seanóir liath
  Ann a d'fhanann
Ná luífead go brách
  Len ais mar leannán.

Cá tairbhe domhsa
  Staonadh feasta
Ó tá i ndán dom
  Ulaidh a chreachadh ?
Raghadsa, a ghrá,
  Ag ealú leatsa,
Sara gcloífead le fear
  Is sine ná m'athair.

A bhean sa chúinne,
  Éir' it sheasamh
Is gléas orm gúna
  Den tsróll dearg ;
Le lásaí óir
  Beidh mo bhróga ceangailte
Ag siúl lem stór
  Thar bhánta an earraigh dom.

FILE FÁIN

ÓDOB aerach a léimfinn ar fhód glas cois trá,
Is dob éadrom mo chéimse ag rince ar clár,
Is ba dhéarach im éagmais gach ṙúnchailín bán,
Nó gur éalaigh an t-éag orm fé chaoinchneas mná.

Ar mo bhóthar do bhíos-sa ó aonach an fhómhair,
Mar ba ghlórach a nínnse gach sláinte a d'ól,
Ba cheolmhar mo laoise iar ídeach dom stór,
Nuair seoladh an straoille amach romham sa ród—

Gan luid ar a cosa, ná ceirt ar a ceann,
Ach cóta beag gioblach dearg is donn,
Is seál ar a guaille síos léi ina bheann,
Is lasair ina súile do threascair mo mheabhair.

Do shiúlas ina cuibhrinn go bánú an lae,
Gur éirigh an ghrian is gur mhúscail an t-éan,
Nó gur éalaigh sí siar uaim, gur leath ar an aer,
Is gur sciob léi mo mhian is mo chíocras sa tsaol.

Tá bóithre na hÉireann ag síneadh amach romham
Mar ribíní geala, is is orthu a gheobhad
Go bhfeicfead arís í im choinne sa ród,
Go siúlfad mar shiúlann, go mblaisfead a póg—

Go mblaisfead a póg, is go bhfillfidh arís chugham
An croí sin a réab sí go fealltach óm chlí istigh,
An t-anam a chlaon sí le hamhras ó Dhia orm,
Is go dtabharfaidh sí sásamh i mearbhall m'intinn'.

MAIR, A CHAPAILL

GÉAR mo phéinse t'réis mo ghrá
D'éalú uaim trí chlaonbhirt mhná—
Goileann spéartha mo chruachás,
Goirt an mhuir 'gem dheora.

Cad fé ndear dom cion óm chroí
Ligint leatsa, a ógfhir chaoil ?
Chun go mbeinnse beo ag caoi,
Bean eile agat á pógadh ?

Ná raibh rath ar a láimhín úr
Tháinig eadar mé agus tú,
Ná raibh rath ar a gáire ciúin,
Maidin nó tráthnóna !

B'fhearr liom féin tú sínte ar chlár,
Lí an bháis id leacain bhláith,
Aibíd dhonn na gcorp féd bhráid,
Ise ar do thórramh,

Ná go raghfá féin is í féin
Maidin mhoch roimh altóir Dé
Lámh ar láimh, is céim ar chéim,
Ceolmhar chun an phósta.

Fág id dhiaidh í, dein, a rún,
Téadh sí uait is tairse chugham ;
Cnámha mo ghéag atá leatsa ag tnúth,
Fáiscfidh liomsa fós tú . . . .

Ragham in éineacht cois na trá,
Beag ár mbeann ar chlaonbhirt mhná,
Domhsa amháin a thugais grá,
Fanfadsa go fóill leat.

GRÁINNE

DO chuireadar fios ar inín an rí
Óna súgradh caoin ar chiumhais na habhann
Teacht fé dhéin a hathar gan mhoill
Go snaidhmfí cuing léi idir dhá namhaid.

Do sheasaimh an rí i ngeata na Teamhrach,
A mheabhair á suathadh ag cúrsaí cleamhnais,
Ag feitheamh le filleadh don rín is dá complacht
Mar scata fáinleog i dtús an tsamhraidh.

Ba chlos a glórsan thar gach glór dó
Is ba léir dó i bhfad uaidh a siúl dob éadrom ;
Ní raibh sí stuama múinte mómhar,
Ach gáireach mar ba dhual dá haos bheith . . . .

Ach mar bheadh ré i measc na réilteann,
Nó ar ghrean na trá mar bheadh cruinnphéarla,
Nó mar rós úr ar lomghéaga,
Do bhí sí siúd i measc a gaolbhan.

Níor bhog a chroí ar theacht ina ghaor di
Le trua dá hóige ná dá háilleacht ;
Fé dhual dá gruaig chas barra méire
Is dúirt, 'Tá do chleamhnas déanta, a Ghráinne.'

Cárbh fhios di siúd cad é bhí roimpi
Nuair d'umhlaigh sí dá thoil go dílis ?
Mearbhall grá agus seachrán oíche
Agus éad ban Éireann go lá na scríbe.

AN SEANGHALAR

CAD a bhí it éadan go ngéillfinnse dod bhréithre?
Níor dheineas ort ach féachaint is do thréig mo chiall;
Claondearc na súl nglas, do choiscéim ab éadrom,
Do chéasadar mo chroíse, is go réidh ní chuirfead díom.

Is, a chaológánaigh, ba chráite an mhaise dhuit
Teacht aniar aduaidh orm go cúthail i ngan fhios dom—
Caidreamh go dtí seo riamh níor braitheadh eadrainn
Ach malartú beannacht leat ag gabháil dúinn chun an aifrinn.

Ógmhná na dúthaí seo, má ritheadar id dhiaidh,
Má thiteadar le baois duit, nár chuma liom a gcás?
Beag dá bharr anois agam suite cois an chlaí
Ag feitheamh féach an bhfeicfinn thú tharam chun na trá.

Is, a chaológánaigh, is fada liom an tseachtain seo,
Is gach greim bídh dá n-ithimse is láidir ná go dtachtann mé—
A Dhia mhóir na glóire, ní fiú bheith beo mar mhairimse!
Is nach crosta é an grá so don té a raghadh gafa ann?

Mar leoithne úr ón bhfarraige i meirfean an lae
Airím do theacht in aice liom, is is gile liom ná bláth
Na bhflaige mbuí san abhainn uaim á leathadh féin le gréin
Aon amharc ort—is nárbh fhearra dhom dá bhfanfá uaim go
brách!

Is, a chaológánaigh, do réifeadh dom fáil scartha leat—
Cleamhnas dom do dhéanfadh mo mhuintir i bhfad as so;
Salmaireacht na cléire, sácraimint na heaglaise,
Do thabharfaidís chun céille mé—dá mb'fhéidir liom
tú dhearmad.

SUANTRAÍ GHRÁINNE

CODAIL, a laoich dar thugas grá,
Codail go sámh im bhánbhaclainn,
Tusa mo rogha thar thogha fear Fáil,
Thar rí na bhFian is a chóir fairis—
 Codail, codail, a chúl na lúb,
 Le faobhar na hoíche, codail, a rún.

Is mó rí tíre agus ceannaire cúige
A luífeadh le fonn anocht id leaba ;
B'fhearr leatsa síneadh saor scópúil
Gan céile id chlúid i measc an aitinn—
 Ach codail, óir fós ní baol duit san,
 Codail gan ceo, a mhuirnín ban.

Seachain, a sheanabhroic liaith ón gcnoc,
Seachain, a shionnaigh chríonna an fhill,
Fágaidhse fúinne an áit seo anocht,
A shluaite a mhaireann fé scairt i gcoill—
 Is codail go fóill, a chroí im chléibh,
 Go héirí gréine de dhroim sléibhe.

Codail, a laoich dar thugas grá,
Codail go sámh is do cheann lem ucht,
Mise a thug ort dianseachrán,
Mise a fhairfidh do shuan anocht—
 Codail, codail, a mhian gach mná,
 Codail, a mhaoin, roimh theacht don lá.

BA CHUIMHIN LEIS AN SEANDUINE . . .

MAIDIN gheal, spéirghlan,
Gaoth ón bhfarraige,
Do tháinig mac an aoire
Ar saothar dár ngairmne.

Ó ardán na bhfód nglas
Mar seoltar ár dtréada
Le hais mara móire,
Gur fhógair dúinn scéala :

Go bhfaca go gléasta
Fé éadach go barrnua
An long fhada chaolsleas
I mbéalaibh na trá chughainn !

Ní hé mo dhearmad
Mearbhall sluaite
Ó chúirt is ó gharraithe
Ag brú chun an dúna,

Greadadh chun gluaiste,
Liúireach is sceimhle,
Géarghol na n-óinseach
Gan chúis fós ag caoineadh—

Nithe nach tábhachtach
Cén fáth go neosfainn?
I mbéal na trá báine
Bhíomarna rompu :

I mbéal na trá báine,
Guala le gualainn,
Teas gréine in airde
Mar ualach le hiompar,

Fé ghile na spéire
Coimheascar neameabhrach,
Gur leasaigh fuil dhaonna
An ghainimh sheasc spallta,

Gile agus goirme,
Glanachar sáile,
An chéad fhear dar thit liom
Thit liom an lá san,

In imeall an uisce,
Coirpeach gleoite,
Do chuaigh mo chlaíomh mire
Go dorn ina ghealscornaigh.

Deilbhshlim, fionnaghlan,
Mar chonaic an mhaidin iad,
Gach leannán ban acu
D'fhan againn gan a thoil ;

Dríodar na mara,
  Gallachoin chraosta,
Dóibhsin dob aithreach
  A dturas go hÉirinn !

I mbéal na trá báine
  Gan áireamh do síneadh,
Fé oíche mar chlár
  Is an mhuir chun a gcaointe—

Seirgthe, crapaithe,
Mallaithe i gcúinne,
Ba chuimhin leis an seanduine
Teacht na n-allúrach !

BLÁTH AN AITINN

CROÍ gach ansachta mo ghrá—
Bláth an aitinn, bláth an aitinn !
Brí na háilleachta inti tá—
Bláth an aitinn !
Labhairt an tsrutha i ndiamhair ghleann,
Drúcht na maidne, úire ar gheamhair,
Duille i mboige ar chríne crann,
Nimh don mheabhair—bláth an aitinn !

Gaethe gréine ar maoileann sléibhe—
Bláth an aitinn, bláth an aitinn !
Fuarthan aoibhinn deireadh lae—
Bláth an aitinn !
Taoide ag gluaiseacht fén ré chiúin,
Siúl na gaoithe ar bharr arbhair,
Clos na cuaiche den gcéad uair,
Och monuar ! Bláth an aitinn !

A FHIR DAR FHULAINGEAS . . .

A FHIR dar fhulaingeas grá fé rún,
Feasta fógraím an clabhsúr :
Dóthanach den damhsa táim,
Leor mo bhabhta mar bhantráill.

Tuig gur toil liom éirí as,
Comhraím eadrainn an costas :
Fhaid atáim gan codladh oíche
Daorphráinn orchra mh'osnaíle.

Goin mo chroí, gad mo gháire,
Cuimhnigh, a mhic mhínáire,
An phian, an phláigh, a chráigh mé,
Mo dhíol gan ádh gan áille.

Conas a d'agróinnse ort
Claochló gréine ach t'amharc,
Duí gach lae fé scailp dhaoirse—
Malairt bhaoth an bhréagshaoirse !

Cruaidh an cás mo bheith let ais,
Measa arís bheith it éagmais ;
Margadh bocht ó thaobh ar bith
Mo chaidreamh ortsa, a ógfhir.

FÓGRA

ÓGÁNAIGH sin an cheana, dá dtuigtheá tú féin i gceart
Bhraithfeá an bhliain ag caitheamh is na laethanta ag
imeacht ;
Leat, an fhaid a mhairfidh, an luisne sin i gcneas,
An bláth san ar an leacain, an tathaint sin na ndearc,
Ach ní mór don taoide casadh, is sé dán na hoíche teacht.

Chím chughat an tuar ins an uair ná haithneofar
Breáthacht do chlúimhse thar ghearrcaigh na gcomharsan,
Mustar do chúrsa i gcuibhreann ban óg duit,
Crot an chinn chúmtha, ná guaille atá córach
Crochta go huaibhreach fén seanachasóig sin.

Fair tú féin is seachain, ós tú an tarna mac,
Sara dtagthá turas abhaile is ná beadh romhat cead isteach,
Is áilleachtaí do phearsan ná fóirfeadh ort, nár chleacht
Suáilce fós ná carthain is réim an tsrutha leat—
Nuair a theipeann ar an dtaitneamh is tarcaisneach a bhlas.

Cluas dom, a dhalta, is meabhraigh an méid seo,
s má luír do shúil ar chailín i leith chughat ina dhéidh seo
Ná dein iontas de ná tagann : ba leor uait uair an sméideadh
Ach anois tá dulta amach ort, is do tugadh ort do thréithe,
s mo thrua í mar a mealladh, más miste thú le héinne.

MAC AN TÁILLIÚRA

CAILÍN an bhainne is cailín na luaithe,
Cailín na cathrach, cailín na tuaithe,
Bean i mbun leapan is bean i mbun scuaibe,
Thugadar grá do mhac an táilliúra.

Cailín an tsamhraidh a d'fhan againn seachtain,
Is an cailín a tógadh sa tigh seo ina leanbh,
An cailín fuála a tháinig Dé Sathairn,
Thugadar grá dhó—níorbh fhéidir a sheachaint.

Thugadar grá do mhac an táilliúra
Gur chuma ó thalamh leis chuige ná uaidh iad,
Is d'imigh thar caladh ina ghaige saighdiúra.

D'imigh thar caladh ina shaighdiúir liostálta,
Is gur fada ó bhaile a síneadh a chnámha air,
An scafaire fearúil a ghoileann na mná san.

SLÁN NA MNÁ COIGRÍCHE

A STÓCAIGH dheoranta chóir, is sinede mé céad bliain t'aithne,
Rómhór liom ualach do cheana, is is troime ná an domhan do ghrá dhom—
Is go mb'fhearr liom gan scrupal fós go bhféadfainn tú chur óm aigne,
Nó a dhul ina luí orm fós ná raibh agat feasta gá liom ;

Ach ó tá an scéal mar atá is fearr dúinn glacadh leis amhlaidh,
Ach deinse foighneamh go fóill, ná hiarr orm deabhadh thar meon ;
An slán a chaithfeadsa d'fhágaint, ní slán saoráideach ach rogha dhom
Mar bheadh idir bheatha agus bás, is nach fíor dom gur slán go deo ?

Ceadaigh dom tamall go ngoilfead an chlann úd ná tógfad choíche,
Clann mar ba dhual dóibh siúd a chothaigh is d'oil mé im leanbh,
Nár choisc cineál orm riamh, is ná feadar siad fós ná fillfidh
A dtabhartas orthu thar n-ais, ach go raibh acu a luach-san cheana.

AMHRÁN FEABHRA

TÁIM i mbun a réiteach
  An mó Domhantaí agam
Caite ag siúl im aonar
  Sléibhte Átha Cliath dhom—

Is go mb'fhearr liom ná féadfainn:
  Ní haon abhar maíte
Oiread san de laethanta
  Caite i mbun baoise :

Ógbhean nár thug toil dom—
  Éireom as !
Bóthar fada fliuch romham—
  Díomhaointeas glan !

Ach tagann an fhearthainn de ghualainn na gaoithe
  Droim máma isteach . . .
Féach nach in aisce a baisteadh ort Bríde—
  Ní fuacht go hearrach !

ANOIS TEACHT AN EARRAIGH !

'AR an dtaobh thall den ngairdín
Sea d'fhásann an bláth buí,
Is an dá uair déag a d'fhéachaim air
Ritheann an fhuil óm chroí !' . . .

Mise agus tusa, a dhalta,
D'fhoghlaim an phaidir chéanna,
Fé mar a thagann an sanas
Chun danais i leaba a chéile,
Is gurb é mo bhás a bheith beo.
Is éagóir liom taitneamh na gréine !

'An dá uair déag a d'fhéachaim air !'
Is an céad is an céad ina dhiaidhsin,
Is mo chabhail a bheadh deas ar spórt
Is ná raghaidh chun tairbhe choíche !
Mo chreach an t-earrach so nó
A dheineann fonóid fé dhaoine !

'Ritheann an fhuil óm chroí,' ar seisean,
'Ritheann an fhuil óm chroí !'
Maith mar d'aithin a chló
Is a chomharthaí breacaithe síos,
Is cuimhne an cheana nár thóg
Gur sháraigh gach peannaid riamh !

AN BUACHAILL AIMSIRE

MAIDIN Dhomhnach Cásca trí ráithe in aontíos sinn—
Is dá mb'é an chéad lá a thánag é, is láidir má bheannaís don
Tusa iníon na máistrí 's is mise an seirbhíseach—
Bíodh agat.

Cén difir, ach an t-achar san go rabhas-sa ar fán tíre
Go bhfacasa na máistrí ba mháistrí dáiríre
Is na mná nár chuir ar talamh riamh aon chos gan stoca síoda—
Is nára maith !

Is ait liom féin an mháithrín nár mhúin duit caint shibhialta,
Is is diail an gearradh brád é mar ligeadh cead do chinn leat !
Ná tagadh sé it aigne go mbeinnse ag brú comaoine ort—
Ná m'aire air.

Mo ghraidhn seacht n-uaire a mhargadh a phósfaidh chun an tí sec
Níor spalpadh fós an strapaire a bhainfeadh ceart ná riail díot
Foghlaimeoidh sé peannaid uait nach cúiteamh acaraí ann—
Ní mise san.

Fágfadsa an baile seo de réir mar a rúnaíonn dom,
An ainnise is an salachar agus síorchur na báistí ann ;
Ní péacóg bheag ar bhuaile a choimeádfaidh i bhfonsaí mé—
Creid mé leat.

Atá mo rıar i Sasana is is f'riste teacht i dtír ann,
Tuillfead mo chuid airgid is socaireoidh mé síos ann
Gan stró orm ná aithreachas—ach anso a bheirse choíche
Led chliamhain isteach.

CAD IS BEAN?

IS gránna an rud í an bhean,
hOileadh casta,
Díreach seach claon ní fheadair,
Bréag a n-abair;

Níl inti ceart ná náire,
Níl inti glaine,
An ghin ón gcléibh tá meata,
Mar is baineann;

Beatha dhi inneach an duine,
Slán ní scarfair
Go gcoillfidh agat gach tearmann,
Go bhfágfaidh dealamh;

Cleachtadh an tsúmaire a sampla,
Go maireann amhlaidh,
'Mise glacsam!' a paidir,
Ampla a foghlaim:

Mar tá sí gan céim chumais
Ach i mbun millte,
Nimh léi gach fiúntas dearbh
Phréamhaigh sa tsaoirse;

Chás di cumann a chúiteamh,
Ní heol di féile,
Má d'imir ina reic a pearsain
Is le fíoch éilimh ;

Tá gann, tá cúng, tá suarach,
Gan sásamh i ndán di
Ach an déirc is an tsíoraithis—
Dar mharthain ! is gránna.

CEATHRÚINTÍ MHÁIRE NÍ ÓGÁIN

i

ACH a mbead gafa as an líon so—
Is nár lige Dia gur fada san—
Béidir go bhfónfaidh cuimhneamh
Ar a bhfuaireas de shuaimhneas id bhaclainn.

Nuair a bheidh ar mo chumas guíochtaint,
Comaoine is éisteacht Aifrinn,
Cé déarfaidh ansan nach cuí dhom
Ar 'shonsa is ar mo shon féin achaine?

Ach comhairle idir dhá linn duit,
Ná téir ródhílis in achrann,
Mar go bhfuilimse meáite ar scaoileadh
Pé cuibhrinn a snaidhmfear eadrainn.

ii

Beagbheann ar amhras daoine,
Beagbheann ar chros na sagart,
Ar gach ní ach bheith sínte
Idir tú agus falla—

Neamhshuím liom fuacht na hoíche,
Neamhshuím liom scríb is fearthainn,
Sa domhan cúng rúin teolaí seo
Ná téann thar fhaobhar na leapan—

Ar a bhfuil romhainn ní smaoinfeam,
Ar a bhfuil déanta cheana,
Linne an uain, a chroí istigh,
Is mairfidh sí go maidin.

iii

Achar bliana atáim
Ag luí farat id chlúid,
Deacair anois a rá
Cad leis a raibh mo shúil !

Ghabhais de chosaibh i gcion
A tugadh go fial ar dtúis,
Gan aithint féin féd throigh
Fulaing na feola a bhrúigh !

Is fós tá an creat umhal
Ar mhaithe le seanagheallúint,
Ach ó thost cantain an chroí
Tránn áthas an phléisiúir.

iv

Tá naí an éada ag deol mo chí'se,
Is mé ag tál air de ló is d'oíche ;
An gárlach gránna ag cur na bhfiacal,
Is de nimh a ghreama mo chuisle líonta.

A ghrá, ná maireadh an trú beag eadrainn,
Is a fholláine, shláine a bhí ár n-aithne ;
Barántas cnis a chloígh lem chneas airsin,
Is séala láimhe a raibh gach cead aici.

Féach nach meáite mé ar chion a shéanadh,
Cé gur sháigh an t-amhras go doimhin a phréa'cha;
Ar láir dhea-tharraic ná déan éigean,
Is díolfaidh sí an comhar leat ina shéasúr féinig.

v

Is éachtach an rud í an phian,
Mar chaitheann an cliabh,
Is ná tugann faoiseamh ná spás
Ná sánas de ló ná d'oích '—

An té atá i bpéin mar táim
Ní raibh uaigneach ná ina aonar riamh,
Ach ag iompar cuileachtan de shíor
Mar bhean gin féna coim.

vi

' Ní chodlaím ist oíche '—
Beag an rá, ach an bhfionnfar choíche
Ar shúile oscailte
Ualach na hoíche ?

vii

Fada liom anocht !
Do bhí ann oíche
Nárbh fhada faratsa—
Dá leomhfainn cuimhneamh.

Go deimhin níor dheacair san,
An ród a d'fhillfinn—
Dá mba cheadaithe
Tar éis aithrí ann.

Luí chun suilt
Is éirí chun aoibhnis
Siúd ba chleachtadh dhúinn—
Dá bhfaighinn dul siar air.

III. AISTRIÚCHÁIN

FIDELE

ó Bhéarla Shakespeare

TEAS na gréine ort nár ghoille,
Ná sa gheimhreadh fraoch na spéire ;
Níl anso do riar a thuilleadh,
Tabhair abhaile luach do shaothair—
    Óige fhionn is fear na scuaibe
    Mar a chéile déanfaidh smúit díobh.

Feasta taoi beagbheann ar éileamh,
Uabhar an taoisigh duit ní heagal,
Duit ní cúram bia ná éadach,
Dair seach giolcach duit ní haithnid—
    Poimp is léann is leigheas dochtúra
    Leanfaidh tú, is raghaidh sa tsmúit leat.

Splanc thintrí ní baol duit feasta,
Glór na dtoirneach ní mhúsclóidh tú,
Baothbhreithiúnas, cúlchaint chasta,
Gol ná áthas, ní chorróidh tú—
    Searcleannána, ní bhfaighidh diúltadh,
    Géillfidh leat, is raghaidh sa tsmúit leat.

LE TEMPS A LAISSÉ SON MANTEAU

ó Fhraincis Charles d'Orléans

DO chuir an aimsir dhi casóg
Na gaoithe géire, na báistí,
Is ghlac sí uimpi bréid is fí
De cheird na gréine mar le rób.

Míol ná éan dá gcanann glór
Níl ná glaonn de cheol meidhrí ;
Do chuir an aimsir dhi casóg
Na gaoithe géire, na báistí.

Airgead réalach agus ór,
Toibreacha, féithe—cár maisí
Libhré ná gléithe na n-uiscí?

Gaibheann gach n-aon in éadach nó ;
Do chuir an aimsir dhi a casóg.

AN BHEAN MHÍDHÍLIS

ó Spáinnis García Lorca

IS gur thugas liom í 'on abhainn
Á cheapadh ná raibh ach ina cailín
Nuair a bhí aici céile.

Oíche San Seoin a bhí ann
Agus fé mar tharlódh sé le coinne
Do múchadh soilse na sráide
Is do thóg na cnaitheacha tine.
Ag tiontú na gcúinní deireannach
Leagas mo lámh ar a cíocha
Is do mhúscail chugham óna gcodladh
Mar osclann bláth na n-iasainteach.
Ba chlos dom an treisín ina cóta
Mar a bheadh leithead síoda
Á scríobadh le deich bhfaobhair scine
Ag gabháil lem ais ins an tslí dhi.
Gan airgead réalach i gcorn
Tá fásta na crainn ár dtimpeall,
Is gadhair i bhfad ón abhainn
In imeall na spéire ag sceamhaíl orainn.
Fágtha ár ndiaidh na sceacha
Tá, an duilliúr is an flaige ;
Fé ualach a triopal gruaige
Do shocraíos nead ins an ghainimh.
Do scaoileas an carabhat snaidhmthe,

Do lig sí a gúna díthi,
Do scaoileas an crios is an gunna,
Ise an chabhail cheathairfhillte.
Lítis, máthair an phéarla,
Níl acu cneas chomh caoin sin,
Ná níl, dá ghile fuinneog ann,
Gléas i ngloine mar bhí sí.
Do leath a ceathrúin fém mhéara
Mar dhá bhreac éisc ag rathaíocht,
Sciar acu líonta den lasair
Is sciar den bhfuacht is iad líonta.
Creid gur ghabhas-sa an oíche úd
Rogha gach conrach go dtí seo
I muin an tsearraigh ghléghil,
Marcach gan srian gan iarann.
Gach a ndúirt liom os íseal
Níl háil liom, ós fear mé, d'insint.
Solas na tuisceana im intinn
Do mhúin dom measarthacht briathar.
Smeartha lem póga do bhí
Nuair thugas ón abhainn í abhaile.
Do nocht claimhte na ngiolcach
I gcomhrac le leoithne na maidne.

D'iompraíos mé féin mar is cóir
Do stócach ón dtreibh ar díobh mé.
Cheannaíos di bosca fuála
Breá, agus líneáil bhuí ann,

Is níor mhian liom titim i ngrá léi
Ón uair go raibh céile ann di,
Is go ndúirt ná raibh ach ina cailín
Nuair thugas liom chun na habhann í.

CLÁR NA gCÉAD LÍNTE

Anne Yeats a dhearaigh an clúdach

Arna chlóbhualadh do
Sháirséal agus Dill Teoranta
ag Ó Gormáin Teoranta
Gaillimh